D0266520

Souriez,
s'il vous plaît !

auteur : Patricia Reilly Giff
illustrations : Blanche Sims

Chantecler

CHAPITRE 1

Marie Filot fit courir Zoup, son écureuil en caoutchouc, tout autour de sa table.

"Vas-y, Zoup", dit-elle à voix basse.

"Mettez-vous en rang par deux", dit Mme Dubois.

Marie remit Zoup dans sa poche.

Elle retourna son cartable.

Pas de carte de bibliothèque.

"Dépêchez-vous", dit Mme Dubois, "nous devons être là-bas à dix heures."

Marie courut vers les portemanteaux.

Elle ouvrit le sac qui contenait son déjeuner.

Ça sentait le fromage.

Elle le renversa par terre.

Un sandwich avec du fromage orange.

Une banane écrasée.

Pas de carte de bibliothèque.

"Allons-y", dit Mme Dubois. "Le dernier qui sortira fermera la porte."

Marie regarda autour d'elle.

Elle se rappela que c'était son tour de nourrir les poissons.

Vite, vite, elle alla donner à manger à Dragon et à Harry.

Elle ouvrit la bouche pour les imiter.

Puis elle jeta un coup d'œil au lézard dans sa cage de verre. Il dormait.

Marie tapa contre la vitre.

Le lézard remua la queue. Il ouvrit un œil.

Puis il se rendormit.

Marie courut vers la porte.

Elle était la dernière.

Il ne restait personne pour l'accompagner.

Gilles Robin Le Malin et Mathieu Jacquemin étaient devant elle.

Gilles faisait des bruits de pistolet: "Bang, bang!"

"Bien visé", dit Mathieu. "Tu as touché Mme Dubois en plein dans le genou."

Marie tapa sur l'épaule de Gilles: "Tu n'as pas vu une carte de bibliothèque?"

"Bang!", fit Gilles tout en secouant la tête.

"Et toi, Mathieu?", demanda Marie.

"Non", dit Mathieu.

Ils passèrent devant le bureau du directeur et sortirent dans la rue.

"Respirez le bon air du mois de juin", dit Mme Dubois.

Marie respira à fond.

Enfin, pas vraiment à fond.

Parfois, Mathieu mouillait son lit.

Et il ne sentait pas toujours très bon.

Marie se demanda ce qu'elle allait faire.

Ils seraient à la bibliothèque dans une minute.

Tout le monde devait apporter sa carte.

Mme Dubois leur avait bien dit d'y penser.

Tout à coup, Marie se souvint.

La bibliothécaire lui avait confisqué sa carte.

Comment avait-elle pu oublier ça?

Elle devait un franc d'amende pour avoir rendu un livre en retard.

Elle ne pouvait pas récupérer sa carte avant d'avoir payé.

Elle se pencha vers Gilles.

Gilles frappait sur les buissons. "Pourquoi je ne trouve jamais de balle?", dit-il. "Loïc en trouve toujours."

"Prête-moi un franc", demanda Marie.

"Tu rigoles?", dit Gilles.

"Regarde dans tes poches", dit Marie.

Gilles ne répondit pas. Il poussait Mathieu dans les

buissons. Alors Marie pensa à Charlotte Leduc.

Charlotte lui devait deux francs.

Elle était devant, au premier rang.

Elle était en train de rire avec Valérie Brun.

Marie les rattrapa.

Elle se glissa derrière Charlotte.

"Hé", dit-elle.

Charlotte et Valérie se retournèrent.

"Tu te rappelles les deux francs que je t'avais prêtés, pour acheter une glace?"

Charlotte haussa les épaules. "Je te les ai rendus."

"Non", dit Marie, "je ne crois pas."

"Si", dit Charlotte. "J'en suis sûre."

"Ecoute, j'en ai vraiment besoin…"

Charlotte secoua la tête et lui tourna le dos. "Je te les ai rendus", dit-elle. "Un point c'est tout."

Marie regarda le cou de Charlotte.

Il était long et maigre.

"Ton cou ressemble à un spaghetti", dit Marie.

Charlotte ne se retourna pas.

Marie ralentit.

Elle se laissa dépasser par les autres.

Maintenant, s'était creusé un grand espace entre elle et le reste de la classe.

Elle n'avait pas d'argent et tout le monde s'en moquait.

Elle allait avoir des ennuis et tout le monde s'en moquait.

Ce n'était qu'un tas de nouilles, comme Charlotte avec son cou en spaghetti.

La classe tourna le coin de la rue.

Une femme balayait devant sa maison.

Elle s'arrêta et regarda les enfants.

Marie accéléra.

Elle ne voulait pas que la femme voie qu'elle était toute seule.

La femme la regarda en souriant.

Marie ne lui rendit pas son sourire.

Elle redressa la tête et fixa des oiseaux dans le ciel.

Un peu plus loin, elle baissa à nouveau la tête.

Elle se frotta le cou.

Ils arrivaient à la bibliothèque.

Mathieu se retourna. "Je peux te prêter cinquante centimes", dit-il.

"Non, merci", dit Marie.

Elle renifla.

Cinquante centimes, ça ne lui servirait à rien.

A rien du tout.

CHAPITRE 2

La bibliothèque était fraîche et sombre.

Mme Tiroubart les attendait.

Marie garda la tête baissée.

Elle ne voulait pas que Mme Tiroubart la voie.

Elle ne voulait pas que Mme Tiroubart se souvienne de l'amende d'un franc.

Marie courut vers le fond de la salle.

C'était le coin des livres pour les bébés.

C'était tout ce qu'elle pouvait lire, se dit-elle.

Des petits livres de rien du tout pour les bébés.

Elle releva la tête.

Mme Tiroubart était à l'autre bout de la salle.

Les autres enfants étaient assis.

Mme Tiroubart montra le fichier.

"Tous les titres des livres sont là-dedans", dit-elle.

"Par ordre alphabétique", ajouta Mme Dubois.

Marie s'accroupit sur le sol.

Elle détestait l'ordre alphabétique.

Mme Dubois leur donnait des milliards de mots à chercher dans le dictionnaire pour apprendre l'ordre alphabétique.

"Vous trouverez tout ce que vous voulez là-dedans", dit Mme Tiroubart.

Marie tripota sa chaussure de tennis. Le caoutchouc se décollait un peu.

Comme si on pouvait trouver tout ce qu'on voulait!

Elle ne pouvait même pas trouver un franc.

Elle tira sur le caoutchouc.

Puis elle le lâcha.

Il claqua contre son tennis.

"Ding", fit-elle.

"Jeune fille", dit une voix.

Marie se releva.

C'était Mme Tiroubart.

"Que fais-tu ici?", demanda-t-elle.

Marie baissa la tête.

Elle voyait des pieds.

Les tennis de Jérôme.

Les bottes de Loïc.

Elle marcha vers leur table.

Il restait une chaise libre.

Elle s'y installa.

Mme Tiroubart reprit son discours.

Jérôme Donnet se pencha vers Marie. "Ding-dingue", dit-il.

Il se mit à rire.

Marie gonfla les joues.

Elle ouvrit la bouche.

Puis elle la referma en faisant : "Pop !"

"Tête de poisson", murmura-t-elle.

Elle regarda Chloé Passart et Elodie Berchot.

Elles s'amusaient à se faire des grimaces.

Charlotte Leduc et Valérie Brun étaient à la table d'à côté.

Charlotte essayait la bague que Valérie avait eue pour son anniversaire.

"Bien", dit Mme Tiroubart. "Vous pouvez chercher vos livres à présent."

Tout le monde se leva.

Chloé et Elodie se dirigèrent vers les livres d'histoires.

Marie les regarda du coin de l'œil.

Chloé prit un gros livre sur l'étagère.

Il devait avoir cent pages au moins.

Peut-être deux cents.

Quelle crâneuse !

Puis Marie vit Mme Tiroubart s'avancer vers elle.

Marie se leva et alla vers le fichier.

Elle se cacha derrière.

Soudain, elle sentit une main sur sa tête.

"Ne devais-tu pas payer une amende?", demanda Mme Tiroubart.

Marie leva les yeux. "Je crois que si", dit-elle.

Mme Dubois s'approcha.

"Combien?", demanda-t-elle.

"Euh…", fit Marie.

"Un franc", dit Mme Tiroubart. Elle regarda Marie d'un air sévère.

Mme Dubois prit de l'argent dans sa poche. "Tu me rembourseras", dit-elle.

"Oh oui", dit Marie.

"Ne recommence pas."

Marie secoua la tête. "Je vous le promets."

Marie donna l'argent à Mme Tiroubart.

Elle contempla le fichier une minute.

Puis elle ouvrit le tiroir portant la lettre *A*.

A comme *Ami*.

Voilà ce qu'il lui fallait.

Mme Dubois était son amie.

Mais ça ne comptait pas.

Ça ne comptait pas du tout.

CHAPITRE 3

La classe de Mme Dubois attendait devant l'infirmerie.

C'était le jour de la visite médicale.

Marie s'était mise au premier rang.

Elle montait et descendait sur la pointe des pieds.

Elle étirait le cou aussi fort qu'elle le pouvait.

Elle espérait qu'elle avait beaucoup grandi depuis l'année dernière.

Au bout d'un moment elle fut fatiguée de s'étirer.

Elle sortit Zoup de sa poche.

Elle le fit courir le long du mur.

Mme Everart, l'infirmière, mettait un temps fou à les appeler.

Marie essaya de regarder par la vitre.

Elle était en verre dépoli : on ne pouvait rien voir.

Elle s'appuya contre le mur.

Elle pensa à son livre. *Mon meilleur Ami.*

Elle avait lu la page un et la page deux hier soir.

Il expliquait comment choisir son meilleur ami.

C'était ce qu'elle allait faire en premier lieu.

Choisir quelqu'un.

Une fille, bien sûr.

Un garçon, pas question.

Gilles n'était pas mal, pour un garçon.

Mais il était tout le temps avec Mathieu.

Jérôme l'avait traitée de dingue.

Et Simon se mettait les doigts dans le nez.

Marie regarda pas-dessus son épaule.

Mathieu lançait une balle d'une main dans l'autre.

Il laissa tomber la balle.

Mme Dubois secoua la tête.

Mathieu plongea pour ramasser sa balle.

Il se cogna contre Marie.

"Hé", fit Marie.

"Pardon", dit Mathieu. Il ramassa sa balle et retourna au dernier rang.

Marie le suivit des yeux.

Mathieu n'était pas comme d'habitude.

Elle se demanda pourquoi.

Il avait toujours son vieux T-shirt.

Et toujours ses vieux jeans.

"Ouille", dit Elodie Berchot. Elle frotta son ten-

nis. "Il m'a marché sur le pied."

Marie regarda Elodie.

Elodie pouvait peut-être devenir sa meilleure amie. Elodie était un peu autoritaire.

Mais pas trop.

Marie se rappela ce que disait le livre.

Montre-toi amical toi-même.

Marie arbora un sourire amical.

Elle réfléchit à ce qu'elle allait dire à Elodie.

Le livre n'expliquait pas ce genre de choses.

"Je crois que je suis un peu plus grande que toi", dit-elle à Elodie.

Elodie prit un air qui n'avait rien d'amical.

"Je ne crois pas", dit-elle. "C'est moi la plus grande."

Marie rendit son sourire encore plus amical.

"C'est parce que tu as les cheveux tout ébouriffés."

Elodie n'avait pas l'air contente.

"Ils sont très jolis tes cheveux", dit Marie. "Seulement ils sont tout hérissés."

Elodie lui tira la langue. Elle était longue et pointue.

"Tu as des cheveux de girafe", dit Marie. Elle lui tourna le dos.

Au même moment, Mme Everart ouvrit la porte de l'infirmerie.

Il y avait une drôle d'odeur à l'intérieur.

"Tu es la première, Marie", dit Mme Everart.

Marie entra.

"Enlève tes chaussures", dit Mme Everart.

Marie se baissa.

Ses lacets étaient cassés.

Elle avait fait des noeuds aux morceaux.

Maintenant, elle essayait de les dénouer.

Ils étaient tout emmêlés.

"Je n'ai pas toute la journée devant moi", dit Mme Everart. "Au suivant."

Elodie Berchot entra.

"Tu as beaucoup grandi cette année", dit Mme Everart à Elodie. "Ça se voit."

"Je suis sans doute la fille la plus grande de la classe", dit Elodie.

"Ça ne m'étonnerait pas", dit Mme Everart.

"Avec ses cheveux hérissés", fit Marie à voix basse. Elle tire sur son lacet de toutes ses forces.

Il se cassa.

Elle tira sur l'autre.

Elodie monta sur la balance.

"Tu as pris du poids", dit Mme Everart.

Marie leva les yeux.

Elodie se dressait autant qu'elle le pouvait. Elle était presque sur la pointe des pieds.

"Tu as bien grandi aussi", dit Mme Everart.

"En se mettant sur la pointe des pieds", fit Marie à voix basse.

Elodie passa devant Marie. "Je t'avais dit que j'étais la plus grande", dit-elle.

Ce fut le tour de Valérie.

Des larmes coulaient sur ses grosses joues.

"Qu'y a-t-il?", demanda Mme Everart.

"J'ai peur de la piqûre", dit Valérie.

"Ne sois pas stupide", dit Mme Everart. "Monte sur la balance."

Marie enleva son deuxième tennis.

Elle se demanda combien pesait Valérie.

Beaucoup.

Sans doute autant que Marie et Elodie ensemble.

Valérie sortit.

Marie se releva.

Elle essaya de voir ce que l'infirmière avait écrit sur la fiche de Valérie.

Une tonne, sans doute.

L'infirmière fronça les sourcils.

Marie fit semblant de regarder par la fenêtre.

Enfin, ce fut à elle.

"Tu as grossi, Marie", dit Mme Everart. "Et grandi, aussi. Tu es presque aussi grande qu'Elodie Berchot."

Marie ressortit.

Une chose était sûre.

Elle ne voulait pas d'Elodie Berchot comme amie.

Une autre chose était sûre.

Elle ne choisirait pas non plus Charlotte Leduc et son cou en spaghetti.

Elle ne lui avait pas rendu ses deux francs.

Marie se baissa pour attacher les lacets.

Valérie ne ferait pas non plus une très bonne amie.

Elle était toujours en train de ronchonner.

Il ne restait que Chloé.

Chloé Passart.

CHAPITRE 4

Marie attendait son tour pour jouer à la balle au mur.

En même temps, elle lisait *Mon meilleur Ami*.

Mme Haricot passa près d'elle. "Bonjour les enfants", dit-elle.

Elle fit un clin d'œil à Marie. "Je suis contente de te voir en train de lire!", dit-elle.

Marie lui rendit son sourire.

"A ton tour, Marie", dit Chloé.

Marie posa son livre.

Elle glissa une brindille entre la page neuf et la page dix.

Elle frotta la balle contre son jean.

La balle au mur était son jeu préféré.

Elle ne manquait presque jamais son coup.

C'était facile.

Tout ce qu'il fallait faire, c'était lancer la balle

contre le mur. Puis on sautait par-dessus la balle quand elle rebondissait.

Valérie était assise à côté d'elle.

Elle avait raté six fois.

Elle était éliminée.

Marie attendit avant de lancer la balle.

Elle voulait être sûre que Chloé Passart la regardait.

"Vas-y", dit Elodie Berchot.

Marie lança la balle.

La balle revint vers elle.

Elle sauta par-dessus.

"Bien joué, Marie", dit Chloé.

Marie sourit. Elle ramassa son livre.

"C'est mon tour", dit Chloé. "Tu me tiens ça?"

Marie prit les roses que Chloé tenait à la main.

Des roses de juin.

Enveloppées dans du papier d'argent.

"Comme elles sentent bon", dit Marie.

"Tu peux en prendre une", dit Chloé. "Tu pourras la donner à Mme Dubois."

Marie hocha la tête. Elle avait eu raison de choisir Chloé.

Elle allait lui demander d'être sa meilleure amie à l'heure du déjeuner.

Marie alla se placer au bout de la file.

Elle ouvrit le livre d'une main.

Elle lut la page dix. Puis elle commença la page onze. Chloé vint se mettre derrière elle.

"Tu as réussi?", demanda Marie.

Chloé ne répondit pas. Elle prit les roses.

"Ouille", fit-elle. "Ça pique."

"Tu as raté?", demanda Marie.

"Oui", dit Chloé.

"Tu as encore combien de coups avant d'être éliminée?"

Chloé fit semblant de réfléchir. "Quatre", dit-elle.

Marie tourna la page. "Je n'ai raté qu'une seule fois", dit-elle.

"C'est quoi, le titre de ton livre?", demanda Chloé.

"*Mon meilleur Ami*", répondit Marie.

"Moi, je lis *Les Contes de Mère-Grand*", dit Chloé. "Il y a cent seize pages."

Crâneuse, se dit Marie. Chloé se vantait toujours d'être une grande lectrice.

"Combien de pages y a-t-il dans ton livre?", demanda Chloé.

"Je ne sais pas", dit Marie. "Je n'ai pas encore regardé."

"Ça doit faire à peu près…" Chloé leva les yeux au ciel. Elle les ferma à moitié. "A peu près trente et une pages."

Marie fit semblant de lire. Il n'y avait que vingt-sept pages.

Elle avait regardé l'autre jour.

"Je crois que je pourrais lire ce livre en deux minutes", dit Chloé.

Marie tourna la page. "Moi aussi, je pourrais le lire en deux minutes. Mais je n'aime pas lire vite."

"Vraiment?", fit Chloé.

"Vraiment", dit Marie.

Elle essaya de lire aussi vite qu'elle pouvait.

Puis ce fut à nouveau son tour de lancer la balle.

"Veux-tu que je tienne ton livre?", demanda Chloé.

"Ce n'est pas la peine", dit Marie.

"Ça ne me dérange pas", dit Chloé. "Il n'est pas très gros."

"Je vais le tenir sous mon bras", dit Marie.

"Oh là là", fit Valérie dans son coin. "Marie est drôlement forte."

Marie sourit à Valérie.

Valérie avait des traces noires sur ses grosses joues.

Elle avait dû pleurer.

Marie frotta la balle contre son jean.

Juste à ce moment-là, la cloche sonna.

"Vas-y quand même", dit Elodie Berchot.

Marie lança la balle.

Elle essaya de sauter.

Le livre tomba.

"Je vais le ramasser", dit Chloé.

Marie se baissa.

Chloé et elle se cognèrent la tête.

"Je l'ai", dit Marie.

"Bon", dit Chloé, "mais tu as raté la balle, hein ?"

Marie ne répondit pas. Elle se dirigea vers les grandes portes marron. "On rentre en classe !", cria-t-elle.

Chloé était juste derrière elle. "Il te reste combien de coups, maintenant ?", demanda-t-elle.

"Cinq, je crois", répondit Marie.

"Non, tu oublies que tu en avais déjà manqué un", dit Chloé. "Il t'en reste quatre, comme moi."

"Oui, ça doit être ça", dit Marie.

Elle grimpa les marches à toute allure.

Vous parlez d'une amie !

CHAPITRE 5

"Juin est le mois le plus agréable", dit Mme Dubois après le déjeuner.

Elle respira les roses sur son bureau.

Marie prit un bout de papier.

Elle le plia en quatre.

"C'est le mois de mon anniversaire", dit Valérie Brun.

"Merveilleux", dit Mme Dubois.

"Et c'est la fin de l'école", dit Gilles. "J'espère que je ne vais pas encore redoubler."

"Essaie de bien travailler ce mois-ci", dit Mme Dubois.

Marie prit son crayon.

Elle regarda la mine de son crayon.

Il avait besoin d'être taillé.

Mais elle n'avait pas de taille-crayon.

Elle réfléchit à ce qu'elle allait écrire.

"Nous ferons un pique-nique", dit Mme Dubois.
"Dans un jour ou deux."
"Super!", dit Mathieu.
"Génial!", dit Gilles.
"Je ferai une photo de classe", dit Mme Vincent-Stewart, la maîtresse-stagiaire. "Ainsi vous aurez tous une photo de vos amis."
Marie lissa son bout de papier.

**Chloé,
veux-tu être ma meilleure amie ?
Signé :
Marie
(ta meilleure amie)**

"On pourra apporter à manger ?", questionna Mathieu.
"Bien sûr", dit Mme Dubois. "Nous ferons un barbecue. Nous prendrons l'autocar et passerons la journée dans la forêt."
Marie regarda à nouveau son message.
Elle reprit son crayon.

**Tu te mettras à côté de moi dans
l'autocar ?**

"Bien", dit Mme Dubois. "Préparez vos livres.

Nous commençons à travailler dans deux minutes."

Marie releva la tête.

Elle replia la feuille en quatre.

Puis elle se pencha, et posa le message sur la table de Chloé Passart.

"C'est l'heure du compte rendu de lecture", dit Mme Dubois.

Marie soupira.

Elle avait complètement oublié le compte rendu.

Elle chercha dans son pupitre.

Son livre n'y était pas.

Elle jeta un rapide coup d'œil vers Chloé.

Chloé dépliait le message.

Marie courut jusqu'aux portemanteaux.

Le livre n'était pas dans son manteau.

Gilles leva la main.

"J'ai oublié mon livre à la maison", dit-il.

Mathieu leva la main à son tour.

"J'ai oublié de lire mon livre", dit-il.

Mme Dubois fronça les sourcils. "Il reste deux semaines de classe. Il serait temps de t'y mettre."

Marie revint à sa table.

Elle espérait qu'elle allait retrouver son livre.

Elle ne voulait pas que Mme Dubois la regarde en fronçant les sourcils. Elle ne fronçait jamais les sourcils devant Chloé Passart.

"J'ai laissé mon livre dans la cour", dit Marie. "Est-ce que je peux…"

"Vas-y", dit Mme Dubois.

Marie se précipita dans le couloir.

Elle dévala l'escalier.

Puis elle courut derrière le bâtiment.

Son livre gisait sur le ciment.

Elle s'assit et s'adossa au mur de briques.

Elle compta les pages.

Il lui en restait quatorze à lire.

En deux minutes, ça faisait beaucoup.

Et même en deux jours.

Elle n'y arriverait jamais.

Mais Mme Dubois ne l'interrogerait peut-être pas.

Ce serait terrible d'être obligée de dire qu'elle n'avait pas fini ce petit livre de rien du tout.

Et devant Chloé Passart, en plus !

Chloé ne voudrait peut-être plus devenir son amie.

Marie ouvrit le livre à la page quatorze.

Elle lut à toute vitesse.

Puis elle entendit quelqu'un claquer dans les mains.

C'était l'institutrice des grands, Mme Lelangue.

Elle passa la tête par la fenêtre de sa classe. "Jeune fille", dit-elle, "l'école, c'est dans le bâtiment."

Marie se releva. Elle fit le tour du bâtiment.

Elle continua à lire.

Elle termina la page quinze.

Puis elle poussa la porte de sa classe.

Mme Dubois leva la tête. "Bien, Marie", dit-elle. "Raconte-nous ton livre."

Marie alla se mettre près du bureau de Mme Dubois.

"C'est un livre sur les amis", dit Marie. "Il dit comment faire pour en trouver."

Elle ouvrit le livre et le montra aux autres élèves.

Elle regarda Chloé Passart.

Chloé portait une nouvelle chemise fluo.

Marie regretta d'avoir mis son vieux T-shirt à petits cœurs rouges et jaunes.

"Oui", fit Mme Dubois. "Et quoi d'autre ?"

"Eh bien", fit Marie. Elle regarda rapidement les images.

"Marie", dit Mme Dubois, "as-tu lu ce livre ?"

"Oui", dit Marie.

"Entièrement ?"

Marie regarda ses tennis. Ils étaient troués au bout.

On voyait ses socquettes vertes.

"Un morceau", dit-elle.

Mme Dubois fronça les sourcils.

"Termine-le", dit-elle.

Marie alla se rasseoir à son pupitre.

Elle ne regarda pas Chloé Passart pendant tout le reste de l'après-midi.

Elle regrettait d'avoir envoyé ce message.

Chloé ne voudrait plus devenir sa meilleure amie maintenant.

Et Marie ne pouvait pas lui en vouloir.

CHAPITRE 6

Il allait faire très chaud aujourd'hui.
Tout le monde arriva de bonne heure dans la cour de l'école.
Marie regarda autour d'elle.
Tout le monde était là, sauf Chloé Passart.
Marie tenait un des bouts de la corde à sauter.
Charlotte Leduc tenait l'autre bout.
"Tournez-la bien", dit Elodie Berchot. "Je ne veux pas me prendre les pieds dedans."
Marie hocha la tête.
Charlotte et elle firent tourner la corde en un bel arc bien régulier.
La corde claqua contre le sol.
Elodie Berchot commença à sauter.

**Un, deux, trois,
j'irai dans les bois;**

Marie jeta un coup d'œil vers la porte. Toujours pas de Chloé Passart. Marie était contente.
Si seulement elle n'avait pas envoyé ce message!
Chloé la prenait sans doute pour une idiote.
Une nouille.
Le bras de Marie commençait à se fatiguer.
Elle changa de bras.

Quatre, cinq, six,
cueillir des cerises;

Elodie trébucha.
"Eliminée!", cria Charlotte Leduc.
Elodie prit la corde des mains de Marie.
"C'est à toi", dit-elle.
Marie se frotta les mains sur son short.
Elle commença à sauter.
Tout le monde se mit à chanter:

Sept, huit, neuf,
dans mon panier neuf,
dix, onze, douze,
elles seront toutes rouges.

Marie marcha sur la corde.
"Aïe", fit-elle.
"Tu es éliminée", dit Elodie.

Marie regarda vers la porte. Pas de Chloé.

Peut-être ne viendrait-elle pas.

D'ici demain, elle aurait oublié le message.

Marie rejeta ses cheveux en arrière.

Le soleil était déjà très chaud. Elle cuisait.

Elle prit la poignée de la corde dans une main.

De l'autre main, elle tâta ses poches. Tout était là :

Zoup et l'argent de son repas dans une poche.

Vingt centimes dans l'autre poche.

Ils étaient pour Mme Dubois.

Marie la remboursait petit à petit.

A ce moment-là, Chloé arriva.

Elle prit la place de Charlotte.

Valérie se mit à sauter.

Elle chantait : *Un petit chat gris, qui mangeait du riz.*

Ses nattes sautaient en même temps qu'elle.

Elle n'alla pas plus loin que *gris.*

Marie sentit la corde vibrer. Valérie tomba.

"Eliminée !", cria Charlotte.

Les lèvres de Valérie commencèrent à trembler.

"Quelqu'un a tiré la corde", dit-elle.

"Ce n'est pas moi", s'écria Chloé.

"Ni moi", dit Marie.

Elle ne regarda pas Chloé.

Elle savait que c'était Chloé qui avait tiré sur la corde. A ce moment, la cloche se mit à sonner.

Tout le monde devait se mettre en rang.

Marie courut pour être la première.

Derrière elle, elle entendit Valérie qui pleurait.

"Attends", dit Chloé.

Marie ralentit un peu.

"J'ai lu ton message", dit Chloé.

"Quel message ?", demanda Marie.

"Celui où tu me demandais d'être ta meilleure amie."

"Oh", fit Marie.

Elle réfléchit à toute allure.

Peut-être fallait-il dire que c'était simplement un exercice d'écriture.

Peut-être fallait-il dire qu'elle ne voulait pas...

"C'est oui", dit Chloé. "D'accord pour être ta meilleure amie."

Elle sourit à Marie. Marie lui rendit son sourire.

Sa meilleure amie.

Elles se dirigèrent ensemble vers la classe.

Marie entendait Valérie renifler derrière elles.

Elle avala sa salive.

Elle aurait préféré que Chloé ne tire pas sur la corde.

Ça gâchait un peu sa joie de l'avoir pour amie.

"Attendons Valérie", dit-elle à Chloé.

Mais Chloé se mit à courir. "Dépêche-toi !", cria-t-elle. "On sera les premières."

CHAPITRE 7

La classe de Mme Dubois était dans la cour, devant la cantine.

L'écriteau posé sur la table annonçait:

PATISSERIES

"Gâteaux au chocolat!", criait Marie.

"Cinquante centimes pièce!"

"Quatre-quarts!", hurlait Chloé Passart.

"Vous allez me rendre sourd", dit Mr. Mancinet, le directeur.

Puis il sourit. Il posa un franc sur la table. "J'en prendrai un de chaque."

"Prenez aussi une part de tarte aux pommes", dit Valérie Brun. "Je l'ai faite hier soir, avec ma mère."

"Splendide", dit-il.

Il déposa une autre pièce sur la table. Marie et Chloé échangèrent un sourire.

La classe de Mme Dubois avait gagné beaucoup d'argent.

Cette somme était destinée au pique-nique, qui aurait lieu le lendemain.

"On va passer une journée merveilleuse", dit Chloé.

"La meilleure de l'année", dit Gilles.

Marie ferma les yeux.

Elle sentait déjà l'odeur du poulet froid.

Elle savourait déjà le goût des sandwiches.

Peut-être même y aurait-il assez d'argent pour acheter des bonbons.

Elle en avait l'eau à la bouche.

Gilles fouilla dans sa poche.

"Je vais prendre un de ces petits gâteaux au chocolat, moi aussi", dit-il.

"Hé", dit Chloé Passart. "Tu ne peux pas. C'est pour les autres classes. On doit gagner de l'argent, pas en dépenser."

"Un seul gâteau...", commença Marie.

Chloé secoua la tête.

"Rien qu'un", fit Gilles.

Chloé lui tourna le dos.

Elle se mit à parler avec Charlotte Leduc.

"Il vaudrait peut-être mieux...", dit Marie.

"J'en meurs d'envie", dit Gilles. "Je te donnerai soixante centimes."

Marie tapa sur l'épaule de Chloé.

"Gilles paierait même soixante centimes", dit-elle.

Chloé haussa les épaules. "Normalement il ne peut pas en acheter."

"Ne sois pas si sévère", dit Gilles.

"Oui", fit Mathieu Jacquemin. "Moi aussi, je meurs d'envie de goûter aux gâteaux de Marie."

Marie sourit à Mathieu.

Elle se demanda ce qu'il pouvait avoir de changé.

Chloé secoua à nouveau la tête. "Mme Dubois a dit…"

"Tu dis ça parce que nous ne voulons pas de ton gâteau", fit Gilles.

"Oui", dit Mathieu. "Ton gâteau brûlé."

Marie se mit à rire.

Puis elle s'arrêta brusquement.

Il ne fallait pas se moquer de sa meilleure amie.

Il fallait être gentille avec sa meilleure amie.

C'était ce que disait son livre.

Gilles posa soixante centimes sur la table.

Il saisit un gâteau.

Il le fourra tout entier dans sa bouche.

"Super", dit-il tout en mangeant.

Quelques morceaux de gâteau atterrirent sur la table.

"Beurk!", fit Chloé.

"Beurk et rebeurk!", dit Charlotte.

Chloé s'éloigna un peu.

Elle alla se placer à côté de Charlotte.

"Fais-en d'autres", dit Gilles à Marie, d'un ton suppliant. "On les mangera dans l'autocar."

"Oui, oui!", fit Mathieu.

Il posa soixante centimes sur la table.

Marie lui tendit un gâteau.

Derrière elle, Chloé fit claquer sa langue.

"Tu as tort", dit Charlotte.

"Doublement tort", dit Chloé.

Marie sortit vingt centimes de la boîte qui contenait l'argent.

Elle en donna dix à Gilles.

Et dix à Mathieu.

"C'est cinquante centimes seulement", dit-elle.

"Gilles et moi, on va s'asseoir ensemble, dans l'autocar", dit Mathieu. "Prépare-nous deux portions de gâteaux."

"Est-ce que tu veux t'asseoir près de moi dans le car?", demanda Charlotte à Chloé.

Marie se retourna.

Elle ouvrit la bouche.

"La meilleure amie…"

"Bien sûr", dit Chloé. "Je me mettrai à côté de toi, Charlotte."

Marie leur tourna le dos.

Elle regarda Gilles et Mathieu.

Ils couraient dans tous les sens à travers le réfectoire.

D'une minute à l'autre, ils allaient se faire gronder par la surveillante.

"On apportera des bonbons", dit Charlotte à Chloé, "et on partagera."

"J'aime bien les carambars", dit Chloé.

"Moi aussi", dit Charlotte.

"J'ai horreur des carambars", dit Marie.

Mais ce n'était pas vrai.

Elle adorait les carambars elle aussi.

Elles contemplèrent les gâteaux.

Les élèves des grandes classes arrivaient. Ils allaient sûrement acheter tout ce qui restait.

Mais Marie n'avait même plus envie de s'en réjouir.

CHAPITRE 8

Ce pique-nique n'était vraiment pas drôle.

Pas drôle du tout.

Pourtant, Marie avait un short tout neuf.

Rose et vert, avec une poche pour Zoup.

Pourtant, ils étaient dans une forêt magnifique, avec de grands arbres, de l'ombre, des barbecues et des balançoires.

Pourtant, il y avait des bonbons. Et de la pastèque. Non. C'était un pique-nique raté.

Dans le car, elle avait été obligée de s'asseoir à côté de Jérôme Donnet. Elle était la seule fille assise à côté d'un garçon.

Marie renifla un peu.

Elle jeta un bonbon dans sa bouche.

Jérôme lui en avait donné quatre.

En ce moment, Gilles, Mathieu et Jérôme se trouvaient près du barbecue.

Dans une minute, Mme Dubois commencerait à faire griller les saucisses.

Marie regarda Chloé.

Chloé jouait au badminton avec d'autres enfants de la classe.

"Viens, Marie!", cria Elodie. Elle lança le volant.

Valérie voulut l'attraper.

Elle le manqua.

Elle le reçut sur la tête.

Valérie se mit à pleurer.

Marie se dirigea vers les arbres.

Elle regarda par-dessus son épaule.

Mme Dubois allait sans doute lui dire de ne pas s'éloigner.

Mme Dubois avait toujours peur qu'on se perde.

"Hé!", cria Charlotte. "Marie!"

Marie ne répondit pas.

Tant pis pour Charlotte.

Charlotte lui avait pris sa meilleure amie.

Tant pis pour tout le monde.

Marie s'enfonça sous les arbres.

Il faisait frais à l'ombre.

Elle chercha dans sa poche.

Elle prit un autre bonbon.

Puis elle sortit Zoup.

Elle le fit courir sur un rocher.

Elle le fit s'allonger à l'ombre.

Puis elle entendit un bruit d'eau. Elle marcha dans cette direction.

C'était sans doute une rivière. Ou un ruisseau.

Au bout de quelques minutes, elle s'arrêta.

Elle entendait toujours le bruit de l'eau.

Mais il ne semblait pas plus proche.

Elle ferma les yeux et écouta.

Puis elle se remit en marche.

A un moment, elle crut entendre Gilles l'appeler.

Puis elle se rappela qu'elle avait laissé Zoup sur le rocher.

Elle aurait dû l'emporter.

Elle espérait qu'il était toujours à l'ombre.

Elle espérait qu'elle allait le retrouver.

Soudain, le bruit de l'eau s'arrêta.

Tout était silencieux dans la forêt. Ou presque.

Marie entendait le bruit des feuilles dans le vent.

Le chant d'un oiseau.

Mais elle n'entendait plus ses camarades.

Il faisait sombre sous les arbres.

Elle regarda autour d'elle.

Par où était-elle venue?

Elle était perdue.

Et si tout le monde l'avait oubliée?

Ils devaient être en train de manger.

De boire de la limonade.

De manger des bonbons.

Mme Vincent-Stewart allait prendre une photo.

Toute la classe serait sur la photo.

Tout le monde.

Tout le monde sauf elle.

Chloé serait au premier rang.

A côté de sa nouvelle meilleure amie, Charlotte.

Personne ne s'apercevrait que Marie et Zoup n'étaient pas là.

Ils allaient peut-être même repartir sans elle!

CHAPITRE 9

Marie avait chaud. Elle avait soif.

Elle avait faim, aussi.

"Hohé quelqu'un!", appela-t-elle.

Elle espérait qu'un de ses camarades allait la retrouver. N'importe lequel.

Elle pensa à eux, un par un. Gilles.

Gilles aimait vraiment ses petits gâteaux au chocolat.

Mathieu était un bon copain, lui aussi. Il avait voulu lui prêter cinquante centimes pour la bibliothèque.

"Gilles!", hurla-t-elle. "Mathieu!"

Dommage que Jérôme ne soit pas là, se dit-elle.

Il l'aurait traitée de dingue.

Mais il lui aurait donné des bonbons.

Une grosse poignée.

Et Valérie?

Valérie disait toujours que Marie était la meilleure à la balle au mur.

Si seulement elle était restée là-bas pour jouer au badminton!

Elodie lui avait demandé de jouer.

Et Charlotte aussi.

"Charlotte!", appela-t-elle. "Elodie!"

Elle examina le sol pour trouver un caillou.

Mme Vincent-Stewart leur parlait toujours des pionniers et des cailloux.

Les pionniers mettaient un caillou sous leur langue quand ils avaient soif.

Elle se pencha.

Elle vit un caillou rose et blanc.

Il était trop gros pour qu'elle le mette sous sa langue.

Il ferait joli sur le bureau de Mme Dubois. A côté du vase.

Il plairait beaucoup à Mme Dubois.

Marie pensa à Chloé.

Elle avait été gentille de lui donner une rose.

Parfois, Chloé était une très bonne amie.

Peut-être pas sa meilleure amie.

Parfois elle faisait des choses pas gentilles.

Marie réfléchit une minute.

Elle aussi, faisait parfois des choses pas très gentilles.

Au même moment, elle entendit une voix.

"Hohé!", cria-t-elle à nouveau.

C'était Gilles.

Et Mathieu.

"Ouf!", fit Gilles. "On te cherchait."

"J'ai trouvé Zoup", dit Mathieu. "Je me disais que tu ne devais pas être loin."

Marie se redressa. "Salut, les garçons", dit-elle.

Elle avait envie de leur dire qu'ils étaient de vrais amis.

Mais ils diraient peut-être qu'elle était folle.

"Tu as manqué quelque chose", dit Gilles.

"Oui, une bonne nouvelle", dit Mathieu.

Marie ramassa le caillou rose et blanc.

"Qu'est-ce que c'est?"

"Personne ne redouble", dit Gilles. "J'ai demandé à Mme Dubois."

"Je ne me faisais pas de souci pour ça", dit Marie.

"Bang", dit Gilles. Il tira un coup de feu imaginaire en l'air. "Moi, je m'en faisais."

Ils repartirent vers le barbecue.

Mathieu faisait des bonds devant Marie.

Tout à coup, elle comprit ce qui avait changé en lui. Il ne sentait plus mauvais.

Plus du tout.

Mathieu ne mouillait plus son lit. Marie sourit.

Elle était contente pour Mathieu. Pour tous les autres aussi.

Maintenant, elle sentait l'odeur des saucisses grillées.

Elle vit que tout le monde était rassemblé autour du barbecue.

Mme Dubois leva la tête. "Je suis contente de voir que tu es revenue", dit-elle. "Je commençais à m'inquiéter."

"Tout le monde est prêt pour la photo de classe?", demanda Mme Vincent-Stewart.

Marie donna le caillou rose et blanc à Mme Dubois. Puis elle alla rejoindre les autres.

Mme Dubois se mit tout au bout de la rangée. Elle tenait le caillou à la main.

A côté d'elle, il y avait Gilles.

Et ensuite, Marie.

"Laisse-moi me mettre à côté de toi", dit Valérie.

Marie sourit.

Elle se retourna.

Jérôme était derrière elle.

"Ding-dingue", fit-il.

"Dingue-dong", répondit-elle.

"Ne bougez pas", dit Mme Vincent-Stewart. "Il faut que la photo soit réussie. Chaque fois que vous la verrez, vous vous souviendrez de la classe de Mme Dubois."

Soudain, Marie sentit une grosse boule dans la gorge.

L'année scolaire était presque finie.

L'année prochaine, ils ne seraient plus dans la classe de Mme Dubois.

Ils seraient différents. Ils seraient des grands.

Chloé Passart se pencha vers Marie. "Je suis contente que tu sois revenue pour la photo", dit-elle à Marie.

"Moi aussi", dit Marie.

Puis elle pensa à quelque chose.

Après la photo, elle en parlerait à Mme Dubois.

C'était au sujet de son livre, *Mon meilleur Ami*.

Le livre se trompait.

C'était mieux d'avoir plusieurs amis.

Tous différents.

Des amis pour s'asseoir à côté de vous dans l'autocar.

Des amis pour manger vos gâteaux au chocolat.

Des amis pour jouer à la balle au mur.

Elle sortit Zoup et le brandit en l'air.

Il fallait qu'il soit sur la photo, lui aussi.

"Souriez, s'il vous plaît", dit Mme Vincent-Stewart.

Marie brossa le devant de son short avec la main.

Elle voulait être parfaite.

Puis elle fit un grand, grand sourire.